アニーの
ちいさな
汽車

たちもとみちこ（colobockle）

シュッシュッポッポ　シュッシュッポッポ　ポー

こぐまのアニーのパパは、森の汽車の車掌さん。
まいにち、森のみんなをのせて、はしっています。

アニーは汽車がだいすき。
おおきくなったら、パパみたいな車掌さんになりたいんだって。
そんなアニーのために、
パパがつくってくれたのは……。

アニーにぴったりのちいさな汽車。
きょうは、アニーのおたんじょうびだったのです。
パパがつくってくれた汽車をひいて、
アニーはおおよろこびで、森へおさんぽにでかけました。

シュッシュッポッポ　シュッシュッポッポ　ポー
木の上では、ことりたちが汽車の音にあわせて
うたっています。
「すてきな汽車だねえ！　おたんじょうびおめでとう。」

ことりたちは、たくさんの木の実をアニーの汽車に
のせてくれました。

シュッシュッポッポ　シュッシュッポッポ　ポー
森の木にすむリスさんは、
はっぱでつくったかざぐるまを
アニーにプレゼントしてくれました。
「おたんじょうびだってね。おめでとう。」
汽車にかざぐるまをのせて、
アニーはどんどんさきへすすみます。

シュッシュッポッポ　シュッシュッポッポ　ポー
お花畑では、ヒツジの姉妹にであいました。
「アニー、おたんじょうびおめでとう。」って、
おそろいのワンピースでごあいさつ。
ふたりは、たくさんの花で
アニーの汽車をかざってくれました。

シュッシュッポッポ　シュッシュッポッポ　ポー
きりかぶにすわったオオカミおじさんが、本をよんでいます。
カエルのおばさんはお祝いの歌をうたってくれました。
「ケロケロラララー。」
オオカミおじさんの日傘にはねかえったメロディーが、
ぽとぽとおちてきました。

アニーはメロディーをひろいあつめ、
さきへさきへとすすみます。

シュッシュッポッポ　シュッシュッポッポ　ポー
とんがりやねの家(いえ)のまえで、ウシのおばあさんが
ゆりいすにゆられていました。
アニーはいつもすてきなぼうしをかぶっている
おばあさんのことが、だいすきでした。
「おたんじょうびおめでとう。いくつになったんだい？」
おばあさんは、木(き)の実(み)や花(はな)をちょこっとずつつかって、
すてきなくびかざりをつくってくれました。

シュッシュッポッポ　シュッシュッポッポ　ポー
おおきな木の下で、タヌキ画伯にであいました。
おてんきのよいひは、いつも森で絵をかいています。
タヌキ画伯は「おめでとう。すてきな汽車だね。」といって、
汽車とアニーの絵をかいてくれました。
そして、アニーもたのしくおえかきできますようにって、
いろえんぴつをくれました。

シュッシュッポッポ　シュッシュッポッポ　ポー
ふうせんうりのカバおじさんが、
「おたんじょうびのプレゼントだよ。」って
ふうせんをひとつ、アニーの汽車にむすんでくれました。
「もうすぐくらくなるから、はやくおうちへおかえり。」

シュッシュッポッポ　シュッシュッポッポ　ポー
もう、すっかりゆうぐれです。
アニーはおうちへいそぎます。

おうちへかえると、パパがぼうしをつくって
まっていてくれました。
「おかえり、ちいさな車掌さん。」

ママのつくってくれたごちそうと、おおきなケーキをたべながら、
アニーは森でのできごとをおはなししました。

そのよる。
アニーはみんなにもらったプレゼントを、
ぜんぶベッドにならべてねむりました。

きょうであったみんなを、汽車にのせてはしっている夢をみながら。

たちもとみちこ（colobockle）
1976年金沢生まれ。大阪芸術大学卒業。デザイン事務所勤務を経て、フリーに。絵本作家として活躍する一方、colobockle（コロボックル）として雑貨やイラストレーションも手がける。主な絵本に『ニノのまち』（ピエブックス）『はだかの王さま』『てぶくろ』（ともにブロンズ新社）『じっくりおまめさん』（学研）など。
http://www.colobockle.jp

2004年7月6日　第1刷　2006年1月17日　第5刷発行

発行人：真当哲博　編集人：遠田 潔
編集　：木村 真　宮崎 励
発行所：株式会社 学習研究社
　　　　〒145-8502 東京都大田区上池台4-40-5
印刷所：日本写真印刷株式会社

この本についてのお問い合わせは下記までお願いいたします。
文書は　〒146-8502 東京都大田区仲池上1-17-15
　　　　学研お客さまセンター「アニーのちいさな汽車」係
電話は　内容について／03-3726-8552（編集部）
　　　　在庫・不良品について／03-5434-1814（出版営業部）
　　　　その他／03-3726-8124（お客さまセンター）
ご意見・ご感想は　e-mail：ehon@gakken.co.jp（本のタイトルをお書きください）

ISBN 4-05-202072-3　（NDC 913　32p　22.5cm）
©Michiko Tachimoto 2004　Published by GAKKEN　Printed in Japan
本誌の無断転載・複製・複写（コピー）・翻訳を禁じます。
複写（コピー）をご希望の場合は下記までご連絡ください。
日本複写権センター　03-3401-2382
Ⓡ〈日本複写権センター委託出版物〉